Para Matilde y Nathan

© 2009, Editorial Corimbo por la edición en español
Avda. Pla del Vent 56, 08970 Sant Joan Despí, Barcelona
e-mail : corimbo@corimbo.es
www.corimbo.es
Traducción al español de Rafael Ros
1ª edición septiembre 2009
© 2004, l'école des loisirs, París
Título de la edición original : « Juste un petit bout ! »
Impreso en Italia por Grafiche AZ, Verona
ISBN : 978-84-8470-356-3

Émile Jadoul

¡ SÓLO UNA PUNTITA !

¡Ya está,
ya ha llegado
el invierno!

—¡Claro, conejo!,
ven a calentarte con nosotros
—responden Lea y el pollito.

—¡Se está bien así,
los tres juntos!